Les caves d'Ausone

The Cellars of Ausone

Les caves d'Ausone

Les noces du vin et de la pierre

texte de **Damien Delanghe**
traduit en anglais par Gila Walker

photographies de **Serge Bois–Prévost**
et Damien Delanghe

éditions confluences
château Ausone

Les caves d'Ausone

Les noces du vin et de la pierre

texte de Damien Delanghe
traduit en anglais par Gila Walker

photographies de Serge Bois-Prévost
et Damien Delanghe

éditions confluences
château Ausone

La fièvre de bâtir

Building fever

Le visiteur qui a le privilège de déambuler dans les carrières souterraines du château Ausone, à Saint-Émilion, perçoit-il d'emblée toute la richesse du lieu ? Fait-il le lien entre ces voûtes mystérieuses et rebelles et le somptueux patrimoine architectural qu'elles ont enfanté ? Entre l'obscur labeur du carrier et le lumineux éclat des monuments bordelais ?

Passée la sensation déroutante, kafkaïenne, de répétition à l'infini, pilier après pilier, d'un même décor arraché pas à pas à la pénombre, la curiosité puis l'intérêt s'éveillent rapidement. Les motifs géométriques scandant les parois, une chauve-souris en hibernation, d'intrigantes traces d'outils au plafond, une inscription à déchiffrer, un dessin anecdotique ou caricatural, des pierres abandonnées en cours d'extraction, un fossile de coquillage enchâssé dans la roche, les vestiges de la culture des champignons, un puits qui crève le plafond dans un halo brumeux, la fantasmagorie du jeu des ombres mouvantes... Ces carrières, toujours pareilles, toujours différentes ?

Au-delà de leur aspect spectaculaire et varié, de leur beauté brutale, les trois carrières d'Ausone, riches de cinq siècles d'histoire, nous dévoilent l'intimité profonde qui s'est établie entre les hommes de ce pays et la pierre.

Does the visitor privileged to stroll in the underground quarries of Château Ausone in Saint-Émilion immediately perceive the location's wealth? Does he or she realise the intimate connection between these mysterious, unyielding vaults and the sumptuous architectural heritage they engendered, between the darkness in which the quarrier toiled and the radiance of Bordeaux's historic buildings?

The initial disturbingly Kafkaesque sensation of infinite repetition, of seeing pillar after pillar of the same décor torn step by step from the darkness, soon gives way to a sense of curiosity and then of interest. Geometric patterns covering the walls, a hibernating bat, intriguing tool marks on the ceiling, an inscription to decipher, an anecdotal or caricatural drawing, stones abandoned during extraction, a shell fossil enshrined in rock, the remains of mushroom cultivation, the foggy halo of a shaft that splits the ceiling, the eerie spectacle of moving shadows: these quarries are ever the same and ever different.

Beyond their spectacular and changing appearance and their savage beauty, the three Ausone quarries bespeak five centuries of history and the deep bond established between the men of this country and the stone.

LA PIERRE DE BORDEAUX : UN FAIT ÉCONOMIQUE MAJEUR

La région bordelaise s'enorgueillit d'un patrimoine bâti remarquable qui doit une grande part de son éclat à la beauté de la pierre dont le sous-sol

BORDEAUX STONE A KEY ECONOMIC SECTOR

The Bordeaux region prides itself on its distinguished heritage of buildings which owe a great deal of their radiance to the beauty of the stone generously supplied by local sub-stratum. As early as

Ci contre, en haut : Vue du port de Bordeaux *(détail)*, par Pierre Lacour, 1804. Sur le quai des Chartrons, des manœuvres déchargent une gabarre de pierres (des "doublerons") qui sont ensuite acheminées sur des charrettes jusqu'aux chantiers de construction.
En bas : À Bordeaux vers 1900, l'impressionnant quai aux pierres témoigne de la florissante activité du commerce de la pierre à bâtir.

Opposite page, top: *View of the Bordeaux port* (detail), by Pierre Lacour, 1804. On the Quai des Chartrons, workers are unloading stone blocks *(doublerons)* from a *gabarre*. The stones will then be transported overland by waggon to the construction site.
Bottom: Bordeaux, circa 1900. The impressive stone quay bears witness to the thriving stone industry.

local s'est montré géné-
reux. Dès l'époque
gallo-romaine les bâtis-
seurs ont su valoriser
cette belle pierre paille
ou ambrée au grain
coquillier très marqué
qui la rend si vivante
au soleil couchant. De
cette période subsistent
les substructures de
quelques villas, vastes
domaines ruraux et, à
Bordeaux, le Palais
Gallien et divers ves-
tiges mis au jour au gré
des chantiers urbains.

Dans les catacombes de l'église monolithe de Saint-Émilion, la rotonde du Jugement dernier (début du XIIᵉ siècle).

In the catacombs of the monolithic church in Saint-Émilion,
The rotunda with the Last Judgment (early 12th century).

Les carrières gallo-romaines n'ont laissé aucune trace en Bordelais, ni dans le paysage ni dans les archives. Il n'est même pas possible de déterminer si l'exploitation était souterraine ou à ciel ouvert. Le haut Moyen Âge (du VIᵉ au XIᵉ siècle) faisait principalement appel à des matériaux peu durables pour ses constructions, bois et torchis, dont les traces ont aujourd'hui disparu.

L'essor de l'art roman au cours du XIᵉ siècle accompagne un puissant renouveau économique et démographique en Europe occidentale. L'émergence d'une architecture plus durable, qu'elle soit religieuse (églises, abbayes), militaire (châteaux forts, remparts de cités) ou civile (bastides), génère un considérable besoin de matériaux de construction. Fort heureusement le sous-sol girondin est très largement calcaire et apte à fournir une pierre à bâtir qui présente également l'avantage d'être assez tendre et donc aisée à exploiter.

C'est à Saint-Émilion que l'on observe la plus ancienne trace identifiable en Gironde de l'exploitation de la pierre. Il s'agit d'un monument exceptionnel : la vaste église monolithe entièrement creusée dans le rocher au début du XIIᵉ siècle (selon une étude récente), et dont la structure a traversé le temps. Dès cette époque, l'exploitation souterraine est donc attestée. Et c'est encore ici que subsistent les plus anciennes carrières connues en Gironde encore debout. Celles du domaine d'Ausone en sont un exemple particulièrement représentatif.

La Renaissance et le XVIIᵉ siècle voient éclore une brillante architecture civile de demeures et de châteaux d'agrément que nous pouvons encore admirer de nos jours. Mais c'est au XVIIIᵉ, sous l'impulsion des grands intendants de Guyenne, que Bordeaux devient une belle ville de pierre. L'activité des car-

the Franco-Roman period, builders prized this beautiful straw- or amber-coloured stone, with its marked shell-like grain, which comes to life in the setting sun. From this period survive the substructures of a few villas, large rural estates, the Palais Gallien in Bordeaux, and various remains accidentally uncovered in urban building sites.

There is no trace of the quarries from the Franco-Roman period to be found in the landscape of the Bordeaux region or in the archives. We do not even know whether exploitation took place underground or in the open air. During the High Middle Ages (from the 6th to the 11th), impermanent materials like wood and daub were used for constructions, all traces of which have disappeared.

The flourishing of Roman art during the 11th century was accompanied by strong economic and demographic renewal in Western Europe. The emergence of a more permanent architecture, whether religious (churches, abbeys), military (castles, city ramparts) or civic (country houses), generated a substantial demand for building materials. Fortunately, the Gironde sub-stratum is largely limestone and provided a building stone that had the added advantage of being fairly soft and therefore easy to work.

The oldest remaining trace of identifiable Gironde stone exploitation is found in Saint-Émilion. It is an exceptional monument: a huge monolithic church carved entirely out of rock in the early 12th century (according to a recent study), whose structure has survived the centuries. It bears witness to the underground exploitation already underway during this period. The oldest surviving quarries of the Gironde are also found in Saint-Émilion, and of these the quarries on the Ausone estate are particularly representative examples.

The Renaissance and the 17th century witnessed the flowering of a splendid civil architecture of homes and castles, which can still be admired today. But it was in the 18th century that the intendants (or governors) of Guyenne turned Bordeaux into the beautiful stone city that it is today. The activity of quarry workers expanded greatly to

rières prend alors une ampleur nouvelle.

La grande architecture de Bordeaux, les quais, la place de la Bourse et le Grand-Théâtre, s'augmente au XIXᵉ de nombreux et imposants bâtiments civils, mais aussi de tous les édifices modestes et prestigieux, tous bâtis en pierre de taille, qui constituent encore l'essentiel du cadre urbain des villes de Gironde. C'est l'apogée de l'industrie extractive.

Mais après la Première Guerre mondiale, la carence en main d'œuvre et l'émergence de la technique du béton armé entraînent une décroissance brutale et irrémédiable de l'exploitation de la pierre à bâtir. L'exploitation souterraine a cessé en Gironde au milieu du siècle.

Si l'on considère les centaines de carrières subsistant dans le département, dont la surface totale excavée dépasse 2 000 hectares, et que l'on place en regard le remarquable patrimoine bâti en pierre qui en est issu, on peut affirmer que l'industrie d'extraction de la pierre constitue un fait économique majeur du territoire de la Gironde du XIIIᵉ au XIXᵉ siècle, peut-être même le plus important.

Vue du Château-Trompette à Bordeaux, par Léo Drouyn. En 1591, le gouverneur de Guyenne fait venir par bâteau des pierres d'Ausone pour sa restauration.

View of Château-Trompette in Bordeaux, by Léo Drouyn. In 1591, the governor of Guyenne had stones brought by boat from Ausone for its restoration.

meet the new building demands.

To the great architecture of Bordeaux, the quays, Place de la Bourse, and the Grand Theatre, the 19th century added numerous imposing civil buildings, but also all the modest and prestigious constructions built from ashlars that still constitute the bulk of urban architecture in Gironde's towns. The 19th century marked the zenith of the quarry industry.

After the First World War, the shortage of manpower and the development of reinforced concrete instigated a brutal and irremediable decline in the exploitation of building stone. Underground exploitation had ceased in the Gironde by the middle of the century.

In view of the hundreds of remaining quarries covering a total excavated area of over 2,000 hectares in the region and the remarkable heritage of stone construction which they produced, there is every reason to assert that the stone extraction industry was one of the most significant economic activities, if not the foremost activity, in the Gironde region from the 13th to the 19th century.

9

La roche exploitée dans toute la Gironde est le "calcaire à astéries" de l'étage stampien de l'Oligocène inférieur, une période géologique du milieu de l'ère tertiaire, il y a environ trente millions d'années. Il doit son nom aux innombrables fossiles d'*Asteria*, organisme apparenté aux étoiles de mer.

Ce calcaire marqué par la double influence marine et continentale s'est formé dans un climat tropical. Il est d'origine à la fois fluviatile, lagunaire et récifale. Au Stampien, le golfe de Gascogne est une vaste baie peu profonde ponctuée d'îles et de hauts fonds, abritant une faune riche qui laissera des fossiles abondants et variés. Il en tire son caractère biodétritique grossier (constitué de résidus d'os, de coquilles et de carapaces). Sous l'effet des courants de dérive,

The limestone exploited throughout Gironde is "Asteria limestone" of the lower Oligocene's Stampian stage, a geological period from the middle of the Tertiary era, over 30 million years ago. It owes its name to the countless Asteria fossils, organisms related to starfish.

This limestone, marked by both tidal and continental influences, was formed in a tropical climate. Its origins are fluvial, lagoonal and reefal. During the Stampian period, the gulf of Gascogne was a vast albeit not very deep bay dotted with islands and shallows sheltering a rich fauna that left behind abundant and varied fossils. From it, the limestone takes its biodetric coarseness (comprised of bone, shell, and carapace residues). Due to the drift currents, the stone also contains numerous

Vue panoramique du tertre de La Madeleine. De gauche à droite, la vallée de la Dordogne, le château Ausone dans les arbres, le bourg de Saint-Émilion. La falaise de "calcaire à astéries" domine les pentes de "molasses du Fronsadais".

Panorama of the knoll of the Madeleine. From left to right, the Dordogne valley, Château Ausone amidst the trees, Saint-Émilion. The cliff of *"Asteria* limestone" overhangs the *"molasses du Fronsadais."*

il présente également de nombreuses figures de sédimentation qui donnent à la pierre cet aspect si vivant.

patterns of sedimentation, which give it such an animated appearance.

LA PIERRE À SAINT-ÉMILION

Saint-Émilion est un témoin privilégié de l'histoire de la pierre : elle y a été exploitée continuellement depuis le début du XIIᵉ siècle jusqu'au milieu du XIXᵉ. L'ermite Émilien s'installa probablement dans la bourgade au VIIIᵉ siècle, suscitant une ferveur populaire durable. Le modeste abri rocheux où il aurait trouvé refuge a bien évolué : il est devenu la "Monolithe". Sa réalisation date du tout début du XIIᵉ siècle selon une étude récente. Ce volume considérable a été excavé en utilisant les méthodes des carriers. Les édifices voisins en tirèrent très probablement leur matériau.

Quelques siècles plus tard, sauf à compromettre la stabilité des édifices, la ressource en pierre sous la ville ne suffit plus à accompagner l'expansion rapide de Saint-Émilion, désormais chef-lieu d'une Juridiction. Il fallut rechercher des gisements alentour. Le même banc de calcaire coiffe l'ensemble du plateau qui domine la vallée de la Dordogne au sud et à l'ouest de la ville. Les carrières y ont proliféré jusqu'au début du XIXᵉ siècle. Elles tombent en sommeil à cette époque, supplantées par d'autres bassins de production plus proches de la métropole aquitaine et plus capables de soutenir le développement urbain qui résulte de son extraordinaire prospérité.

Un épisode dramatique, abondamment romancé, nourrit encore la légende de la Révolution française autant que l'histoire du sous-sol saint-émilionnais :

SAINT-ÉMILION STONE

Saint-Émilion provides privileged testimony to the history of this stone, partly because it was exploited there continuously from the beginning of the 12th century until the middle of the 19th.

The hermit Emilien probably settled in the village in the 8th century, rousing lasting popular fervour. The modest rocky shelter where he found refuge has changed a great deal since. Now known as the Monolithe, the structure has been dated by a recent study to the very beginning of the 12th century. This great mass was excavated using quarrying methods. The materials used for the neighbouring buildings were most probably taken from it.

A few centuries later, the town's stone resources could no longer suffice to meet the rapid expansion of Saint-Émilion, then the administrative capital of the jurisdiction, without compromising the stability of building foundations. Other rock beds had to be found in the surrounding area. The same limestone trench covers the whole plateau that dominates the Dordogne valley to the south and west of the town. Quarries proliferated there until the mid-18th century when activity ceased, supplanted by other production areas nearer to Bordeaux, and better able to sustain the urban development that resulted from its extraordinary prosperity.

le refuge des conventionnels du parti Girondin dans les carrières de Saint-Émilion pendant la Terreur en 1793 pour échapper à la proscription dont les avait frappés le Comité de salut public sous l'impulsion de Robespierre et Marat. Après un long périple, Guadet, enfant du pays, et six autres députés Girondins en fuite, crurent trouver le salut dans les carrières sous la ville. Finalement tous sauf un furent retrouvés après plusieurs mois de recherches acharnées et périrent brutalement.

A dramatic, greatly romanticized event still feeds the legend of the French Revolution as well as the history of Saint-Émilion's underground. It served as a refuge for the Girondists during the Terror in 1793. In an attempt to escape from the proscription imposed by the Comité de salut public *under the authority of Robespierre and Marat, Guadet, a native son, and five other Girondin deputies sought shelter in the caves underneath Saint-Émilion. After several months of relentless searching, all but one were found, and brutally killed.*

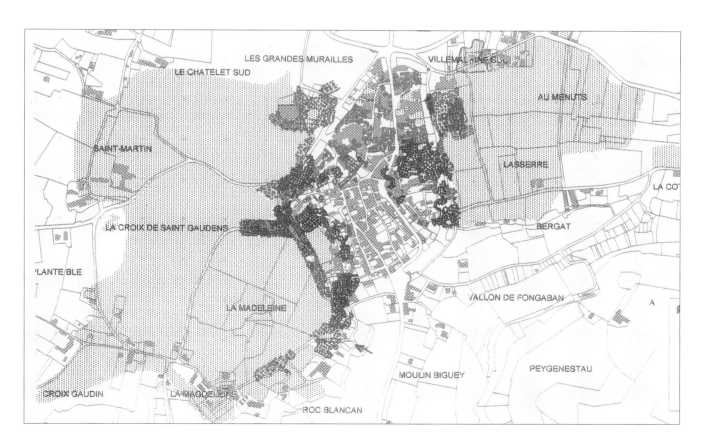

Carte des carrières souterraines de Saint-Émilion. En grisé l'immense superficie des carrières qui s'étendent sur 2,5 km d'est en ouest et 1,5 km du nord au sud et occupent deux à quatre niveaux superposés (la flèche désigne Ausone)

Map of the underground quarries of Saint-Émilion. In grey, the vast area of quarries, with two to four superimposed levels, stretching over 2.5 km from east to west and 1.5 km from north to south (the arrow points to Ausone).

Les carrières d'Ausone

The Ausone quarries

Saint-Émilion est édifiée au bout d'un thalweg. Le domaine d'Ausone occupe une partie du flanc ouest de cette petite vallée, au lieu-dit Roc Blancan (roche blanche). De bas en haut on distingue une assise de roches calcaires tendres, les "molasses du Fronsadais", d'une trentaine de mètres d'épaisseur, datant de l'Oligocène inférieur ; ensuite une mince couche imperméable d'argile, soulignée par de nombreuses sources, assure la transition avec le banc des calcaires à astéries. La puissance de ce banc peut dépasser 50 m sous le bourg et s'amenuise à 25 m sous le tertre d'Ausone. Il dessine une falaise bien visible au sommet du coteau.

Saint-Émilion is built at the edge of a thalweg. The Ausone estate occupies part of the west flank of this small valley in a hamlet called Roc Blancan, meaning 'white rock'. At the bottom there is a soft limestone rock foundation, called the molasses du Fronsadais, *approximately 30 meters thick, also dating back to the Oligocene period. Above this is a thin impervious layer of clay, underrun by numerous springs, which ensures the transition to the Asteria limestone trench. The limestone's depth can exceed 50 m under the town, paring down to 25 m under the Ausone knoll. It forms a clearly visible cliff at the summit of the hillside.*

LE MARIAGE DE LA VIGNE ET DE LA ROCHE

THE MARRIAGE OF VINE AND ROCK

Campé sur le rebord du plateau à l'altitude de 75 m, le château d'Ausone domine vers le sud-est la vallée de la Dordogne. Il faisait partie du hameau de La Madeleine, écart de la paroisse de Saint-Martin-de-Mazerat. Cette paroisse fut rattachée à Saint-Émilion en 1790. Les vignes du domaine se répartissent sur le plateau calcaire et sur les pentes de molasse calcaire.

Le mince sol argilo-siliceux de la partie supérieure du banc calcaire permet, sur quelques centimètres, la pénétration des racines et l'alimentation en éléments minéraux variés par remontée capillaire. Dans la pente, la

Situated on the edge of the plateau at an altitude of 75 m, the Ausone château dominates the Dordogne valley to the southeast. It was part of the hamlet of La Madeleine, a dependency of the parish of Saint-Martin-de-Mazerat. This parish was joined to Saint-Émilion in 1790. The estate vines are spread over the limestone plateau and the limestone molassic slopes.

The thin layer of clayey siliceous limestone lets the roots reach a few dozen centimetres down into the ground where they obtain a variety of minerals by capillary action. On the slopes, the deep molasse allows for

Ci-contre : *Un front de taille encore apparent sur un pilier du chai souterrain. Les trois blocs de pierre verticaux surmontent trois rangs de pierres horizontales.*
Ci-dessus : *A Ausone, la vigne et la roche vivent en symbiose. Au fond, la chapelle de La Madeleine.*

Opposite page: A still visible working face on a pillar in the underground wine cellar. The three vertical blocks surmount three rows of horizontal stones.
Above: At Ausone, vine and rock live in symbiosis. The building in the background is the Madeleine chapel.

molasse profonde autorise un enracinement très important, qui assure une alimentation hydrique et minérale exceptionnelle. L'assemblage de ces deux origines géologiques contribue à la production de très grands vins.

UN MONDE
SOUS NOS PIEDS

Le choix d'extraire la pierre dans des galeries souterraines peut surprendre, alors qu'il semble plus simple et plus confortable de travailler à ciel ouvert. Il était impensable que des carrières de pierre confisquent des surfaces occupées par des cultures à forte

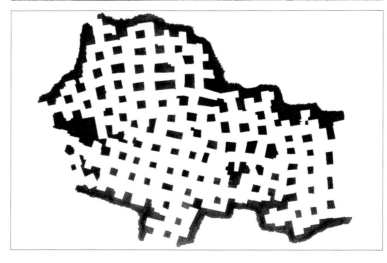

much deeper root penetration and a plentiful supply of water and minerals. The blending of these two geological origins contributes to the production of outstanding wines.

A WORLD
UNDER OUR FEET

The choice of extracting stone from underground galleries might seem surprising. After all, wouldn't it have been easier and more comfortable to work in the open air? It was out of the question to have stone quarries taking up land used for such valuable crops as vines (single-crop wine-grow

De haut en bas : – *La chapelle de la Madeleine, lithographie de Léo Drouyn, 1858. On distingue dans le rocher deux habitations troglodytiques. Aujourd'hui, celle de droite possède encore sa cheminée tandis que celle de gauche livre accès au chai souterrain du château. – L'entrée actuelle du chai souterrain. – Un détail du plan de la carrière inférieure : des piliers en tout sens, de dimensions variables, plus ou moins alignés. Pour le promeneur, tout repère est aboli.*
Ci-contre : *Les barriques reposent sous les voûtes multiséculaires du chai souterrain.*

From top to bottom: – *The Madeleine chapel, lithography by Léo Drouyn, 1858. One can see two troglodyte homes carved in the rock. Today, the one on the right still has a chimney; the other serves as an entrance to the Ausone wine cellar. – The actual entrance to the underground wine cellar. – Detail from a map of the lower quarry. The pattern of different size pillars, with rows going in all directions, offers few bearings for the visitor strolling through it.*
Opposite page: *Wine barrels in the underground cellar beneath vaults, several hundred years old.*

Pleine page : *Le chai souterrain abrite deux millésimes de château ausone en cours d'élevage.*
En médaillon : *En 1906, dans le chai, l'atelier d'habillage et de mise en caisses des bouteilles.*

The underground cellar houses two hundred barrels of Château Ausone.
Inset: Packing bottles, circa 1900. The straw was used for protection.

Dans un coin du chai vieillissent quelques millésimes respectables, au contact de la pierre.

A few very old vintage bottles in a corner of the cellar ageing in close contact with the stone.

valeur ajoutée comme la vigne (à Saint-Emilion la monoculture viticole s'impose autour du village depuis plusieurs siècles) et par quelques cultures vivrières, labours et pâturages. Par ailleurs, une carrière à ciel ouvert nécessite une longue préparation du sol pour atteindre la roche exploitable, travail improductif et consommant des surfaces supplémentaires pour entreposer la végétation, la terre superficielle et la couche supérieure de roche altérée par l'érosion. Enfin, l'accès direct à la roche par le flanc des collines permet d'évacuer la pierre par voie horizontale sur des charrettes sans recourir à des engins de levage. La productivité des carrières souterraines est donc meilleure sans neutraliser les surfaces constructibles ou cultivables.

ing had taken hold around the town of Saint-Emilion for several centuries already) but also for subsistence crops and as pastures. In addition, an open-air quarry requires lengthy soil preparation to reach exploitable stone; this is unproductive work, which requires additional space to put the vegetation, topsoil and the eroded upper layer of stones. Finally, direct access to the stone from the hillsides allows it to be removed horizontally on wagons without the use of hoisting mechanisms. Quarry productivity is therefore more efficient without destroying surfaces that could be used for construction or cultivation.

LES TROIS CARRIÈRES D'AUSONE

C'est dans un contrat de vente de pierre à extraire des carrières situées sous et aux abords de l'emplacement du château actuel qu'apparaît pour la première fois en 1592 la mention des « pierrières et casteau Dauzonne » (carrières et château d'Ausone). C'est donc la plus ancienne mention connue du nom actuel du domaine. Au-dessus de ces carrières subsistaient les vestiges d'un château médiéval dont l'ensemble disparut au cours du XVIIe siècle, certainement démoli pour en exploiter de la pierre.

La plus petite des carrières (1 800 m²) est actuellement le chai du château. Son creusement s'est achevé à l'extrême fin du XVIe siècle. On remarque toutefois

THE THREE QUARRIES OF AUSONE

The first mention of the quarries and Château d'Ausone ("pierrières et casteau Dauzonne") dates back to a 1592's bill of sale of stones which had to be drawn out beneath the location of today's wine estate. Thus, it is the earliest appearance of the name of Ausone. The stone had been excavated from underneath the ruins of a medieval castle. The latter entirely disappeared throughout the course of the 17th century, the reason probably being the re-use of its stones.

The smallest of the quarries (1,800 m²) is currently the château wine cellar. It was excavated at the very end of the 16th century. But there are spo-

Bordées de puissants piliers tous différents mais tous semblables, ces allées souterraines dans la carrière inférieure s'étendent en tout sens dans les profondeurs du plateau de Saint-Émilion.

Flanked by powerful pillars, all similar yet each unique, these underground avenues run in all directions throughout the depths of the Saint-Émilion plateau.

diverses traces ponctuelles de reprise de l'exploitation, probablement au XVIIIᵉ siècle. Deux dômes ont été ouverts dans le cerveau pour laisser pénétrer la lumière du jour. Les piliers sont puissants mais très espacés, signe d'une époque où les règles de stabilité restaient très vagues : le carrier « sera tenu laisser les piliers d'espesseur suffizante pour empescher toute ruyne » (1603). Il se dégage de ces volumes sombres et silencieux une impression de force tranquille.

L'origine de son utilisation comme cave à vin est incertaine, mais l'inventaire après décès des biens de Pierre Chatonnet (un ancêtre des propriétaires actuels d'Ausone) en 1728 mentionne « une grotte servant de chai et cuvier ». Cette noble reconversion pourrait donc remonter à près de trois siècles.

Le chai accueille de cent à deux cents barriques, selon la période de vinification, et une collection privée de bouteilles de la propriété couvrant près de deux siècles. Elles y vieillissent en paix dans une atmosphère parfaitement stabilisée. La température moyenne est de 12°C et l'humidité quasi-saturante. Les parois du chai sont revêtues d'un champignon précieux, *Cladosporium cellare*, qui joue un rôle déterminant dans l'équilibre écologique de la cave de château ausone, se nourrissant des substances libérées par l'évaporation du vin.

radic traces of exploitation that probably date to the 18th century. Two vaults were opened in the ceiling, to let in daylight. The pillars are strong but built very far apart, an indication that stability rules at the time were not very strict: a document from 1603 specifies that the quarrier "is obliged to leave pillars of sufficient thickness to prevent decay." An impression of quiet strength emanates from these dark, silent volumes.

The origins of its use as a wine cellar are uncertain, but the 1728 will of Pierre Chatonnet (an ancestor of the current Ausone owners) mentions "a cave used as a wine-cellar and fermenting room" in his estate assets. This noble conversion could therefore date back almost three centuries.

The wine cellar holds one to two hundred barrels, depending on the vinification period, and a private collection of the estate's bottles covering nearly two hundred years, which age peacefully in a perfectly stable atmosphere. The average temperature is 12°C and the humidity extremely high. The walls are covered with a precious mould, cladosporium celare, which lives on substances released by the evaporation of wine and has a decisive role in maintaining the ecological balance in the Château Ausone wine cellar.

Reprise de l'exploitation de la carrière inférieure au XIXᵉ siècle. Les deux rangs inférieurs à gauche sont restés inachevés.

An area of the lower quarry reworked in the 19th century. The two bottom rows on the left were left unfinished.

Au même niveau que le chai, une autre carrière de 3 800 m² s'étend en direction du sud-ouest. Elle est contemporaine du chai. Avec des galeries hautes de 4 à 6 m, des piliers fins et irrégulièrement implantés, une portée entre piliers atteignant parfois 11 m et une large pénétration de la lumière du jour, cette carrière a des allures de caverne naturelle.

La troisième carrière occupe l'étage inférieur. Si elle est déjà mentionnée en 1568, l'exploitation s'est encore pratiquée sporadiquement jusqu'au XIXᵉ siècle. Cette carrière est la plus étendue sous le domaine d'Ausone : plus de 8 000 m². La hauteur des galeries varie entre 1,7 et 3,5 m et leur largeur moyenne est de 4 m. Elle prend l'aspect d'une vaste forêt de piliers (on en dénombre 153 !) entre lesquels le regard se perd en tout sens dans l'obscurité. De nombreuses galeries ont été obstruées pour faciliter la culture des champignons, mais on pourrait encore – théoriquement – effectuer dans cet étage une déambulation souterraine de près de deux kilomètres vers le nord, jusqu'au bourg de Saint-Émilion et au-delà, et de plus d'un kilomètre en direction de l'ouest et du nord-ouest.

Si les carrières antérieures au XVIIIᵉ siècle sont rares en Gironde, c'est en grande partie parce qu'elles se sont déjà effondrées, tandis que ces voûtes d'Ausone vieilles d'un demi-millénaire sont toujours debout !

On the same level, another quarry of 3,800 m² stretches southwest. It dates to the same period as the wine cellar. This quarry — with its 4-metre high galleries, its admirable, irregularly placed pillars, with a span between pillars sometimes reaching 11 metres, and its good supply of sunlight — has the appearance of a natural cavern.

The third quarry occupies the lower level. Mentioned as early as 1568, it was still exploited sporadically until the 19th century. This is the quarry that covers the most area, more than 8,000 m², under the Ausone estate. Gallery height ranges between 1.7 and 3.5 m and the average width is 4 m. It looks like a vast forest of pillars (153 in all!) where one is blinded by the darkness at every turn. Many galleries have been blocked to facilitate mushroom cultivation, but you can still — theoretically at least — take an underground stroll of more than 2 kilometres towards the north, up to the village of Saint-Émilion and beyond, and more than a kilometre west and northwest.

Quarries prior to the 18th century are rare in the Gironde largely because most have already collapsed. But the Ausone vaults dating back half a millennium still stand!

Le métier de la pierre

The stone trade

PAUVRE CARRIER...

C'est sans doute avec une touche d'exagération que J.-B. de Saincric, professeur d'Hygiène à Bordeaux, écrivait en 1844, préfigurant Zola : « La classe des pierriers offre l'aspect général d'êtres languissants, étiolés, rabougris, contrefaits, maladifs, et dont l'existence ne saurait être jamais très-prolongée. »

Ces gens savaient tout de même se plaindre avec élégance, comme en témoigne ce quatrain naïf et touchant relevé sur la paroi d'une carrière :

> *Pauvre carrier ici profond sous la terre*
> *Privé de la lumière que Dieu t'a donnée,*
> *Va-t'en au clair soleil lui ouvrir ta paupière*
> *Plutôt que de gémir dans le chantier.*

Le carrier se situe spontanément au même rang social que l'agriculteur, tout en reconnaissant à sa propre condition une légère supériorité : les aléas climatiques ne sauraient compromettre ni sa récolte ni son confort d'été et d'hiver. Mais le métier est tout de même rude. Il s'agit d'un travail très physique, exposé au désagrément de l'obscurité que perce une maigre chandelle de suif. Le carrier travaille seul dans sa galerie et ne retrouve ses collègues que lors des pauses. Le vin dont il use sans modération lui apporte du réconfort. On commence très jeune dans le métier puisque la scolarisation n'est pas obligatoire. À partir de onze ans, les enfants

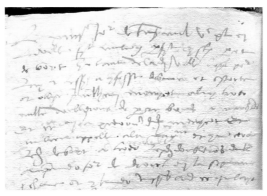

« Le 14° jour de juing mil 540 en la ville de St Milion, personnellement constitué peyrot Debort habitant de la dicte ville, lequel pour luy et les siens, a confessé debvoir et estre tenu et obligé Guilhem Menycot à luy tirer mille doublerons de pierre bons et marchands et ce en la pierriere du dict Menycot au lieu appellé à La Magdelaine et commencera le dict Debort à tirer les dicts doublerons au premier jour de droict en la sepmaine prochaine et continuer jusques ad ce qu'il ayt... »

THE POOR QUARRIER

It is no doubt with a touch of exaggeration that J.B. de Saincric, professor of Hygiene in Bordeaux, wrote in 1844, foreshadowing Zola: "the general appearance of the quarrier class is that of languid, weakly, stunted, deformed, sickly beings, whose lives will never be lengthy."

At least these people knew how to complain elegantly, as this naive and touching quatrain taken from the walls of a quarry demonstrate:

> *Poor quarrier deep underground*
> *Deprived of God-given light*
> *Open your eyes to the bright sunshine*
> *Rather than moaning at work*

The quarrier occupied about the same social status as the farmer, but he was aware that his situation was slightly better: inclement weather conditions did not affect his harvest or his comfort, summer or winter. But the trade was nevertheless harsh. It was hard physical labour and one was exposed to the unpleasantness of darkness pierced only by a meagre tallow candle. The quarrier worked alone in his gallery and joined his colleagues only during breaks. He drank a great deal of wine, which brought him comfort. One began in the trade at a very young age, as schooling was not a prerequisite. From the age of eleven, children participated in transporting stone on wheelbarrows, and

Ci-dessus : *Maître Pégam, notaire royal à Saint-Émilion, enregistre le contrat par lequel Guilhem Ménicot, bourgeois de la ville, passe commande à Pierre Debort, carrier, de mille doublerons à extraire dans sa carrière de La Madeleine (extrait transcrit par Jean-Pierre Saignac).*
Ci-contre, en haut : *Au premier plan à droite, le pierrier ouvre l'esclopement du haut à l'aide de la trace, dans une position particulièrement inconfortable. Celui de gauche dégage les rangs de banquerie. Au fond, un autre carrier aplanit le front de taille avec le grand taillant. En bas : Doublerons abandonnés sur le chantier. Ces pierres d'un poids d'environ 100 kg étaient évacuées sur une solide brouette à deux roues, le bajard, puis chargées sur des charrettes.*

Above: Maître Pégam, royal notary public in Saint-Émilion, records the contract by which Guilhem Ménicot, burgher, orders one thousand *doublerons*, from Pierre Debort, quarrier, to be extracted from the Madeleine quarry (excerpt transcribed by Jean-Pierre Saignac).
Opposite page, top: In the right foreground, the quarrier works from a particularly awkward position on the upper horizontal trench made with the aid of a pick. The quarrier to the left clears the rows of bedrock while the one in the background uses a *taillant*, or heavy axe, to smooth the stone surface. Bottom: *Doublerons* abandoned at the site. These blocks of stone, weighing approximately 100 kg, were moved out of the quarry on a *bajard*, a solid wheelbarrow, and then loaded on wagons.

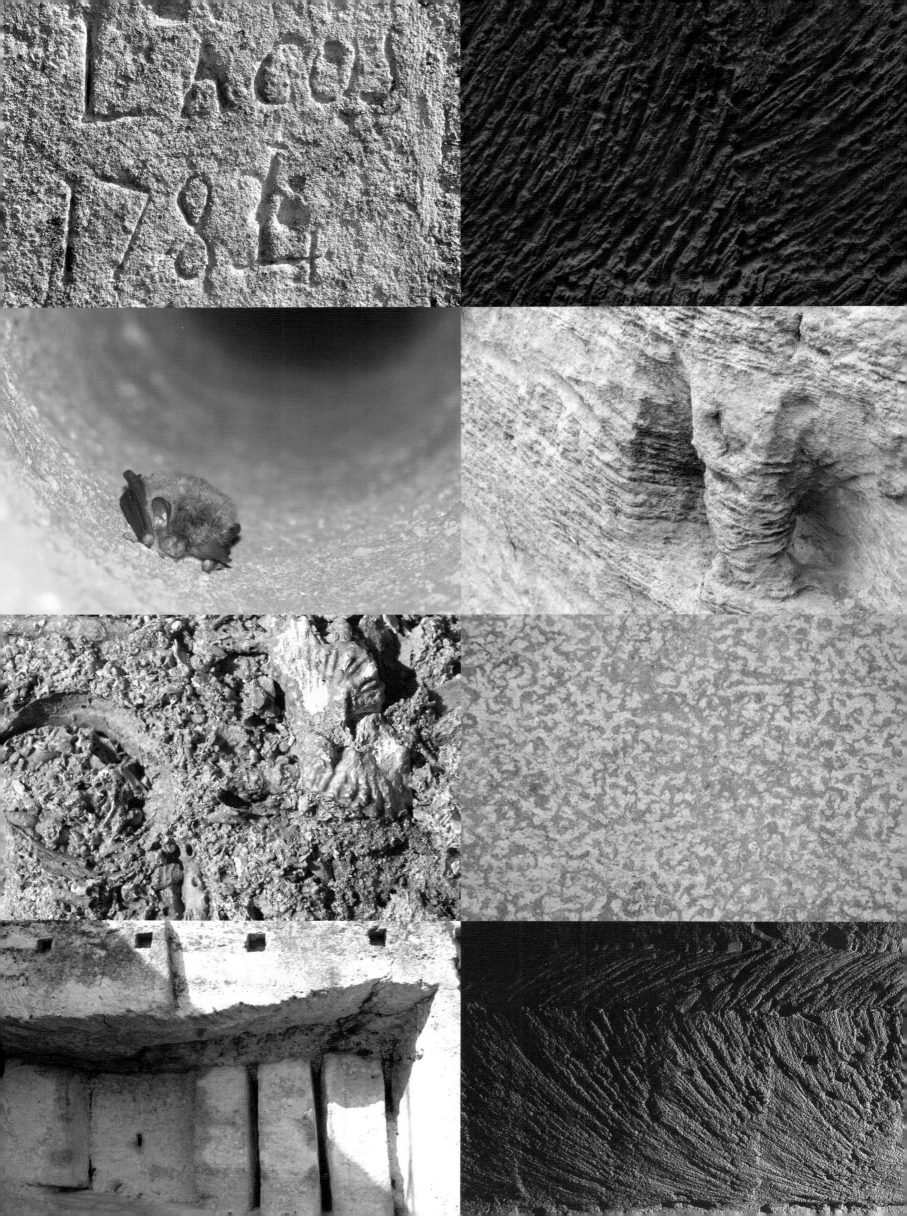

participent au transport de la pierre sur des brouettes et aux menues corvées comme l'évacuation du *jable* (débris de pierre ; voir le glossaire en fin d'ouvrage).

Il n'y a pas de compagnonnage chez les carriers comme chez les tailleurs de pierre : le métier s'apprend "sur le tas" et ne nécessite pas d'apprentissage : si le geste doit être précis, il n'est pas savant. Quant à la compréhension du matériau, elle s'acquiert avec l'expérience. D'ailleurs l'évaluation de la qualité de la pierre n'est pas infaillible et l'on relève sur les fronts de taille de nombreux arrachements de blocs ratés.

Le métier est souvent une affaire de famille, sans que cela soit une règle mais ils ont de proches parents charpentiers, vignerons, laboureurs, tonneliers. Les archives révèlent le nom de plus de soixante pierriers ayant travaillé aux carrières de La Madeleine (le lieu-dit où se trouve Ausone) entre 1526 et 1867. Il est intéressant de noter des lignées fidèles au métier : six Jourdan de 1568 à 1782, six Delabat de 1568 à 1803, cinq Mouraud de 1572 à 1679, et même quatorze Gros (dont cinq prénommés Pierre, on s'y perd parfois !) entre 1597 et 1867.

performed small tasks like clearing jable *(stone debris; see glossary).*

Quarriers did not form professional brotherhoods as did stonemasons. The trade was learned "on the job" and required no apprenticeship: the quarrier had to be precise, but not educated. An understanding of the material was acquired over time. As a matter of fact, the evaluation of stone quality was not always perfect and in the rock face one often finds examples of botched block extraction.

The trade was usually but not exclusively a family affair: families with quarriers also included carpenters, vine-growers, labourers, coopers. The archives reveal the names of more than sixty pierriers (or stone workers) who worked in the quarries of La Madeleine (which is the name of locality where Ausone is situated) between 1526 and 1867. It is interesting to note that there are families that remained faithful to the trade from generation to generation: there are six Jourdans from 1568 to 1782, six Debalats from 1568 to 1803, five Mourauds from 1572 to 1679, and even fourteen Gros (five of whom were named Pierre, which can

Ci-contre, de gauche à droite et de haut en bas *: inscription de troglodyte ; marques de pic au plafond ; vespertilion de Daubenton (chauve-souris) en hibernation ; anneau d'attache taillé dans la roche ; fossiles dans le calcaire à astéries ; dépot vermiculaire d'argile sur une paroi ; front de taille abandonné en cours d'exploitation ; le geste répétitif du carrier figé dans la pierre.*
Ci-dessous : *Aménagement de placards creusés dans la roche, dans la « grotte des Vendangeurs ». On distingue les encoches destinées à supporter des étagères. Cette ancienne carrière a été convertie en habitation souterraine.*

Opposite page, left to right and top to bottom: troglodyte inscription; pick marks on the ceiling; a hibernating Daubenton's bat; a rock-hewn tethering post; fossils in the Asteria limestone; vermicular clay deposit on a wall; working face abandoned before being fully exploited; the quarrier's repetitive movement etched in stone.
Below: Cupboard fittings carved in the rock in so-called "Grotte des Vendangeurs" or Harvesters cave. Visible on the photograph are the grooves cut to support shelves in this former quarry converted into a troglodyte home.

Tous résidaient dans la paroisse de Saint-Martin-de-Mazerat, et certains dans des habitations troglodytiques au quartier de La Madeleine.

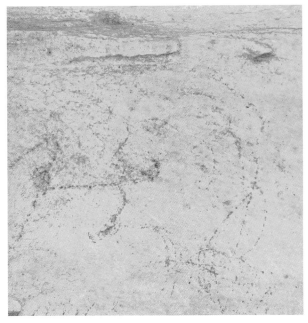

Les carriers occupaient leurs instants de repos à dessiner sur les parois rocheuses. Ici un portrait de carrier avec pipe et bonnet.

Workers sometimes drew pictures on the walls: here, a drawing of a quarrier.

UN GESTE INLASSABLEMENT RÉPÉTÉ

La méthode d'extraction des blocs de pierre est très similaire dans toute l'Europe occidentale – à l'exception notable de la région parisienne – et les pays méditerranéens. Elle tire cependant ses particularités régionales des caractéristiques géologiques. Le calcaire étant une roche sédimentaire, l'alternance plus ou moins serrée de bancs de dureté variable et la présence éventuelle de minces couches de matériaux divers (argile, silex) conditionnent le format des blocs débités. En Gironde, la relative homogénéité du banc oligocène dans toute son épaisseur permet de s'affranchir des contraintes géologiques et d'ouvrir parfois plusieurs étages superposés de galeries.

On pratique dans une paroi verticale préalablement aplanie (le front de taille) quatre tranchées à l'aide d'un pic afin de délimiter le bloc à extraire. Dans l'une des tranchées verticales, le carrier enfonce ensuite progressivement des coins, en prenant soin de bien répartir la pression, pour arracher le bloc qui ne tient plus à la roche que par sa face arrière. Sitôt abattu, le bloc est basculé au sol et débité en deux ou trois pierres à bâtir.

Pour arracher les blocs voisins, il répète le creusement des tranchées puis pratique à l'arrière du bloc un court sillon dans lequel il va à nouveau ficher des coins. L'opération se renouvelle jusqu'à ce que toute la rangée soit extraite (de quatre à dix blocs selon la largeur de la galerie). On détache ensuite les pierres des rangs inférieurs selon une méthode analogue.

La dimension des pierres devait répondre à des demandes très diverses. Le doubleron est le format le plus répandu : haut et profond d'un pied, large de deux. Il en existait de nombreux autre types dont les dimensions pouvaient varier d'un bassin de production à un autre : courbeau, douelle, gros bourg et petit bourg, marche-pied, pierre de deux, tierceron, etc.

make things very confusing!) between 1597 and 1867. All of them lived in the parish of Saint-Martin-de-Mazerat, and some in troglodytic dwellings in the Madeleine locality.

A GESTURE RELENTLESSLY REPEATED

The method of extracting stone blocks is similar throughout Western Europe and the Mediterranean, with the notable exception of the Parisian region. It draws its regional particularity, however, from geological characteristics. As limestone is a sedimentary rock, the relatively dense alternation of trenches of varying hardness and the presence of thin layers of various materials (clay, flint), determine the size of cut blocks. In Gironde, the relative homogeneousness of the Oligocene trench throughout its depth, allows freedom from geological constraints and the opening of several gallery levels.

To demarcate the block to be extracted, four trenches were dug with a pick in a previously levelled working face. In one of the vertical trenches the quarrier progressively drove in wedges, taking care to distribute pressure evenly, in order to pull out the block, which was by then attached to the rock only by its back surface. As soon the block was detached it was tipped over to the ground and cut into two or three building stones.

To detach the neighbouring blocks more trenches were dug, then a short furrow cut at the back of the block in which wedges would again be driven. The operation was repeated until the whole row was extracted (from four to six blocks depending on the gallery's width). The stones were then detached from the lower rows using the same method.

Stone dimensions met varying requirements. The doubleron was the most prevalent size: one foot in height and depth, and two feet wide. There were many other types (courbeau, douelle, gros bourg and petit bourg, marche-pied, pierre de deux, tierceron, etc.), with dimensions changing from one production area to another.

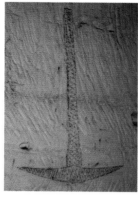

Curieusement, l'outillage d'extraction de la pierre a peu évolué entre l'Antiquité et le début du XXe siècle. Jusqu'à la Première Guerre mondiale, l'outil emblématique du carrier reste le pic (longue pièce de fer, pointue aux deux extrémités, assujettie en son milieu à un manche en bois), manipulé à la force des bras.

Le carrier utilise couramment deux autres outils. Le taillant, sorte de forte hache pesant environ 6 kg, munie d'un large tranchant de 40 à 50 cm, est destiné à équarrir les blocs de pierre pour leur donner une forme parallélépipédique. Il est également employé pour aplanir la paroi rocheuse lorsque l'arrachage d'un bloc a laissé une surface irrégulière. Le gaffot, croc emmanché, sert à manutentionner les blocs sans se baisser.

Naturellement, le forgeron est un partenaire régulier du carrier. Il redresse, renforce et affûte le pic et le taillant. L'autre partenaire quasi-quotidien du carrier est le charretier. Il achemine la pierre depuis le front de taille jusqu'au chantier de construction, ou pour une clientèle plus lointaine jusqu'au port le plus proche. Une charrette tractée par une paire de bœufs transporte habituellement six pierres, soit environ 650 kg. Les chemins non stabilisés ne sont pas adaptés au transport de marchandises pondéreuses, surtout à la mauvaise saison où ils se transforment souvent en fondrières.

Le transport fluvial est assuré dès la fin du Moyen Âge par des gabarres, petits navires robustes à fond plat, marchant à la voile, à la rame ou se faisant haler, capables d'emporter jusqu'à deux cent cinquante pierres. Il a existé, dans l'actuel département de la Gironde, sur la Garonne, la Dordogne et l'Estuaire, une cinquantaine de ports affectés au transit de la pierre. Parfois très modestes, ils étaient situés au plus près des carrières afin de minimiser le parcours terrestre. Le port d'embarquement de la pierre produite à Saint-Émilion était celui de Pierrefitte, à environ 4,5 km du château Ausone.

A gauche : Le pic de carrier, ou trace, ici dessiné sur la paroi d'une carrière, est l'outil emblématique du carrier. Léger (environ 1,1 kg) et effilé sur cette représentation de la fin du XIXe siècle il est le fruit d'une lente évolution à partir d'un outil médiéval plus lourd et épais qui privilégiait la puissance de percussion.
A droite : Le grand taillant est l'outil le plus spectaculaire du carrier. Cette hache pèse 6 kg et son tranchant peut mesurer 50 cm.
Ci-dessous : L'étroite tranchée verticale ouverte au pic pour détourer un bloc de pierre (au fond l'empreinte des coups de pic superposés).

Upper left: A drawing of pick, or *trace*, the emblematic tool of the quarrier. Light (about 1.1 kg) and slender in this drawing, which dates to the late 19th century, it gradually developed over time from a much heavier and thicker medieval tool that relied on the strength of the impact.
Upper right: The *taillant*, the most impressive of the quarrier's tools. This huge axe weighs 6 kg and has a blade that can measure up to 50 cm.
Bottom: The thin vertical cut made with a pick to delineate the block of stone (in the rear, the superimposed marks left by the pick).

Curiously enough, the tools used for stone extraction changed very little from antiquity to the beginning of the 20th century. Until the First World War, the pick was the emblematic tool of the quarrier; this long piece of iron pointed at each end, with a wood handle affixed to its middle, was worked with arm strength.

The quarrier also used two other tools. The taillant*, a kind of strong-axe weighing approximately 6 kg, and equipped with a wide 40- to 50-cm blade designed to square stone blocks into a parallelepiped shape. It was also used to smooth the rock face when removal of a block had made the surface irregular. The* gaffot*, a hook equipped with a handle, was used to manipulate blocks without having to bend down.*

Naturally, the blacksmith was the quarrier's regular partner. He straightened, reinforced and sharpened the pick and the taillant*. Another almost daily partner of the quarryman was the carter. He drove the stone from the quarry to the building site, or for more remote customers, to the nearest port. A cart drawn by a pair of oxen could usually carry six stones, or about 600 kg. The unstable roads were unsuitable for the transport of heavy goods, especially in bad weather when they often turned into quagmires.*

River transport was assured by the end of the Middle Ages on gabarres. These small robust flat-bottomed boats, which were sail- and oar-powered but could also be towed, were capable of carrying up to 250 stones. There were, in what is now the Gironde département, some fifty ports dedicated to stone transport on the Garonne, the Dordogne and the Gironde estuary. Sometimes very small, they were located as close as possible to the quarries in order to minimize land transport. Pierrefitte, approximately 4.5 km from Château Ausone, was the shipping port for the stone produced in Saint-Émilion.

25

Quelle que soit l'époque, l'activité du carrier recouvre des statuts divers. Le professionnel indépendant a pour activité principale l'extraction de la pierre. Il passe des contrats avec divers propriétaires de carrières. Le carrier qui a "réussi" se retrouve à la tête d'une petite exploitation et emploie quelques ouvriers carriers, tâcherons rémunérés en fonction de leur production. Il devient un "marchand pierrier" et se situe à un rang plus élevé dans l'échelle sociale (ce n'est qu'au milieu du XIXᵉ siècle que l'on voit apparaître de véritables entreprises employant plusieurs dizaines d'ouvriers). Enfin, de nombreux agriculteurs, artisans, commerçants, "tirent" occasionnellement la pierre dans leur terrain, en marge de leur activité professionnelle principale, pour se procurer des revenus supplémentaires ou pour leurs propres besoins constructifs.

En raison de l'extrême morcellement des terres, il règne un système complexe de droits d'extraction, droits de sortie, droits de passage, droit de puisage d'eau, etc., régissant les relations entre les carriers et les divers propriétaires, complété par diverses taxes seigneuriales et autres dispositions fiscales dont l'Ancien Régime avait le secret.

À de rares exceptions près, la carrière souterraine appartient au propriétaire du terrain sus-jacent, généralement un bourgeois assez aisé pour être propriétaire foncier. Il en confie l'exploitation à un carrier ou marchand carrier. Dans ce cas, trois dispositifs peuvent être appliqués : la concession selon un prix forfaitaire fixé à l'avance pour une durée déterminée ; la vente "sur pied" de toute la pierre disponible dans la carrière en exclusivité pour une période fixée, moyennant une redevance proportionnelle à la production effective ; la vente d'une quantité prédéfinie de pierre, exprimée en nombre de pierres ou en nombre de "bancs" (un volume cubique de treize pieds de côté).

Le charretier, partenaire quotidien du carrier, pénètre dans les galeries avec son attelage, tiré par un bœuf, un cheval ou un mulet. Il ne charge que six pierres par voyage et les achemine sur de mauvais chemins jusqu'au chantier de construction ou au port de Pierrefitte sur la Dordogne.

The carter was the quarrier's daily partner at work. He brought the wagon, drawn by an ox, a horse, or a mule, into the galleries. The cart could bear up to 6 blocks, which were then transported over very poor roads to the construction site or to the port of Pierrefitte on the Dordogne.

Whatever the period, the activity of quarrier covered different statuses. The independent professional's main activity was stone extraction. He works under contract with the various quarry owners. The quarrier who had "succeeded" could head a small-scale enterprise, hiring a few quarry workers who were remunerated according to how much they produced. He became a "merchant quarrier" and enjoyed a higher social standing (only in the mid-19th century did any real companies employing many dozens of workers emerge). Finally, many farmers, artisans, and merchants, occasionally "pulled" stone on their land in addition to their principal professional activities in order to supplement their revenue or for their own construction needs.

Due to the extensive parcelling of land, there was a complex system of extraction rights, exit rights, rights of way, right to draw water, etc., which governed relations between the quarriers and various landowners, crowned by the various seigniorial taxes and other financial arrangements to which the Ancient Regime was privy.

In a few exceptional cases, the underground quarry belonged to the owner of the overlying land, usually a burgher wealthy enough to be a landowner. He would entrust its exploitation to a quarrier or merchant quarrier. In this case, three arrangements could be made: a concession at a fixed contract price for a predetermined length of time; the exclusive sale of all the quarry's stone for a fixed period of time, averaging a rental fee proportional to real production; or the sale of a predetermined quantity of stone, calculated in terms of the number of stones or "trenches" (a cubic volume of thirteen feet sideways).

26

Un petit port sur la Dordogne. La gabarre attend le chargement des pierres entreposées sur le quai.

A small port on the Dordogne with a *gabarre* waiting for the stones on the quay to be loaded.

UNE PRODUCTION ABONDANTE ET RECHERCHÉE

Le seul niveau inférieur des carrières d'Ausone a produit environ 20 000 m³ de pierre à bâtir, l'équivalent de 278 000 pierres appelées doublerons. À titre indicatif, une maison bordelaise traditionnelle bâtie en pierre, de deux étages et d'une surface au sol de 70 m², nécessite deux mille doublerons. Il faut rapprocher ces besoins de la production journalière d'un carrier, qui était de l'ordre de vingt à trente doublerons par jour.

La réputation de la pierre d'Ausone semble avoir été largement reconnue. Elle a même concouru à l'édification d'un bâtiment exceptionnel. Le maréchal de Matignon, gouverneur de Guyenne restaure pour le roi Henri IV – et pour maintenir l'autorité royale à Bordeaux la turbulente – un vaste château fort édifié au nord de la ville, à l'emplacement de l'actuelle place des Quinconces. Il écrit aux jurats, magistrats civils de Saint-Émilion :

« *Messieurs,*
Ayant besoing, pour le bastiment qu'il faut fere dans le Chasteau Trompette, de recouvrer jusqu'à trois milliers de doublerons de pierre, je vous ay bien voulu fere ceste cy, pour vous prier y ordonner, et permettre qu'ilz soient tirés de la piarrière de la Magdelaine, et me le fere le plus promptement que fere se pourra charroier sur le port de Pierrefitte ; mais c'et chose à quoy il ne fault apporter ny longueur ny deffault, d'aultant qu'il y va du service du Roy, comme je m'assure que vous ne vouldrez failhir...

Mathignon
À Libourne, ce VII janvier 1591 »

AN ABUNDANT PRODUCTION IN GREAT DEMAND

The lower level of the Ausone quarries alone produced approximately 20,000 m³ of building stone, the equivalent of 278,000 stones referred to as doublerons. By way of example, a traditional Bordeaux stone house, with two stories and a surface area of 70 m² required 2,000 doublerons. It is interesting to compare this figure to the daily production of a quarrier, which was about twenty to thirty doublerons or so.

The reputation of Ausone stone seems to have been widely recognized. It was even used in the construction of an exceptional building: with an eye to imposing royal authority in unruly Bordeaux, the Marshal of Matignon, governor of Guyenne, restored a huge château for King Henry IV to the north of the city, where Place des Quinconces now stands. He wrote to the jurats, civil magistrates of Saint-Émilion:

Sirs,
Having need, for the construction required in the Chateau Trompette, of recovering up to three thousand stone doublerons, I would pray you to order and allow them to be cut from the Madeleine quarry, and be brought to the port of Pierrefitte; this must be done without delay, especially since it is for the King, and I am sure you would not want to fail in this [...]

Mathignon
Libourne, this VII January 1591

En pleine page : *Détail d'une carrière convertie en habitation.*
En médaillon : à gauche : *L'entrée de la grotte des Vendangeurs, bouche de carrière devenue habitation troglody-tique sans doute dès le XVIIe siècle, puis cuisine et réfectoire pendant la saison des vendanges au long du XXe siècle ;*
à droite : *Une habitation abandonnée depuis longtemps et envahie par la végétation.*

Detail of a quarry converted into a home.
Left inset: The entrance to the "Grotte des Vendangeurs." This former quarry was converted into a troglodyte home, probably by the 17th century, before being used throughout the 20th century as a kitchen and dining hall for grape pickers during harvest season.
Right inset: A long abandoned troglodyte home overrun by vegetation.

De clottes en grottes :
les troglodytes

From *clottes* to *grottes* :
the troglodytes

Les textes anciens sur le domaine du château Ausone font une distinction, qui répond bien à l'étymologie, entre la "pierrière", lieu d'extraction de la pierre c'est-à-dire une carrière (généralement souterraine et vouée à la pierre de taille), et la "clotte", lieu creusé dans la roche et utilisé pour diverses activités humaines, principalement comme résidence, c'est-à-dire un habitat troglodytique.

UNE PRATIQUE OPPORTUNISTE

Le troglodytisme est un phénomène répandu dans des régions au climat chaud et sec. L'habitat souterrain protège efficacement de la chaleur diurne et de la fraîcheur nocturne. Une autre raison au développement du troglodytisme dans ces zones correspond au défaut de forêts. Le phénomène est largement répandu en France au sud de la Loire.

Deux formes de cavités troglodytiques coexistent à Ausone. Les premières réutilisent une bouche de carrière. Ces vides souterrains abandonnés, aux volumes analogues à ceux d'une maison ordinaire, sont faciles à convertir en habitations en isolant l'habitat du reste de la cavité par de simples murs de maçonnerie. Les autres maisons troglodytiques sont creusées dans la roche et ne communiquent pas avec les carrières. Si leur volume est plus petit, elles sont également creusées selon les méthodes et avec les outils des carriers.

Les avantages du troglodytisme sont nombreux. L'emprise foncière sur le sol arable est nulle. L'édification ne requiert ni maçon ni charpentier ni couvreur ni matériau. Les frais d'entretien sont légers. Le risque d'incendie est écarté. Le confort d'été est assuré. La forte inertie thermique des parois garantit un confort d'hiver que viennent compléter la cheminée et l'exposition au midi. La question de l'humidité est traitée par une aération appropriée. Et c'est la maison évolutive par excellence : on peut lui adjoindre d'autres galeries ou creuser des extensions à volonté sans permis de construire !

Old texts on the *Château Ausone estate make the etymological distinction between a* pierrière, *the place where stone is extracted, that is to say a quarry (usually underground and dedicated to stone extraction), and a* clotte, *a place carved in the rock and used for various human activities, principally as dwellings, that is, as troglodyte homes.*

AN OPPORTUNIST PRACTICE

Trogdolytism is a widespread phenomenon in hot, dry climates. Underground habitats effectively protect against heat during the day and cold at night. Another reason for the development of troglodytism in these zones is the absence of forests. The phenomenon is widespread in France, south of the Loire.

Two types of troglodytic cavities can be found in Ausone. The first re-used a quarry opening. These abandoned, vacant underground spaces, about the size of a normal house, were easy to convert into dwellings by isolating the home from the rest of the cavity with simple masonry walls. The other troglodyte homes are built into the rock and do not communicate with the quarries. Smaller than the first type, they too were excavated using the methods and tools of the quarrier.

Troglodytism offers numerous advantages. A home built in the rock requires no expropriation of arable land and its construction does not necessitate masons, carpenters, roofers, or material. Maintenance expenses are low. There is very little risk of fire. Summer comfort is assured. And its high thermal inertia walls, in addition to a fireplace and a southern exposition, guarantee comfort in winter. The problem of humidity is solved with proper aeration. It is the epitome of an open-ended adaptable home, as many other galleries can be added, or extensions dug as needed without obtaining a construction permit!

Un des derniers troglodytes de Saint-Émilion, vers 1900.

One of the last troglodyte dwellers in Saint-Émilion, circa 1900.

Reconstitution de l'intérieur d'une clotte (habitation troglodytique).

Reconstitution of the interior of a *clotte*, which is the local term for a troglodyte home.

Le terme "clotte" est employé à propos des habitations souterraines du hameau de La Madeleine. Il apparaît dans les archives en 1529 et revient abondamment jusqu'en 1661. Il est concurrencé à partir de 1600 par sa forme actuelle : "grotte". Plus de cinquante documents relatent les clottes ou grottes de La Madeleine, à l'occasion de ventes immobilières ou d'héritages. À Ausone, l'une d'elles est encore désignée comme la "grotte des Vendangeurs", ainsi nommée car ils y prenaient leurs repas jusque dans les années 1960.

The term clotte *is used when speaking of the underground dwellings of the hamlet of La Madeleine. It appeared in the archives in 1529 and recurred abundantly until 1661. From 1600 it was rivalled by the term used today:* grotte *(caves). More than fifty documents refer to the* clottes *or caves of La Madeleine in real estate sales or inheritances. In Ausone, one of them is still referred to as the* grotte des Vendangeurs *(the harvesters' cave), so-named because meals were taken there during harvest until the 1960s.*

Un mode de vie très tendance

A FASHIONABLE WAY OF LIFE

Contrairement à ce que l'on pourrait penser, les résidents n'étaient pas des miséreux. Ceux de La Madeleine occupaient un rang social peu élevé mais honorable : carrier, "charpentier de haute futaie", laboureur, marchand, voiturier, tailleur, tonnelier, sabotier. On trouve également parmi les propriétaires un maire de Saint-Émilion, un procureur et un prêtre mais ces notables louaient la clotte et n'y habitaient pas eux-mêmes. Le hameau de La Madeleine, dont faisait partie Ausone, a compté plusieurs dizaines de foyers résidant dans des troglodytes.

On peut encore identifier dans le domaine d'Ausone les vestiges de quinze habitats troglodytiques, plus ou moins bien conservés. Tous sont d'un seul niveau et d'une superficie modeste. L'habitat souterrain se prolongeait parfois par un

Contrary to what one might think, the inhabitants were not destitute. Those of La Madeleine occupied honourable if not very high social ranks: they were quarriers, "charpentiers de haute futaie" (carpenters), labourers, merchants, carters, tailors, coopers, and clog makers. There was also a mayor of Saint-Émilion, an attorney and a priest, but these distinguished citizens rented the clottes *and did not actually live in them. The hamlet of La Madeleine, to which Ausone belonged, counted many dozens of families living in troglodytes.*

On the Ausone estate, the remains of fifteen more or less well-preserved troglodytic dwellings can still be identified. They are all one-level and of modest size. A stone building was sometimes added as an extension to the underground living space. But most

édifice bâti en pierre. Mais il s'agissait le plus souvent d'un simple appentis couvert de tuiles, dont témoigne une rangée de trous de charpente dans la paroi rocheuse.

Certains abris particulièrement exigus étaient destinés aux animaux (chèvres, cochons, volaille). De nombreux anneaux d'attache taillés dans la pierre suggèrent la présence de bovins ou d'équidés. Un bout de jardin, consacré aux cultures vivrières, complétait la propriété.

L'AISANCE DANS LA SOBRIÉTÉ

La façade du logement est généralement monolithe, les rares ouvrants étant pratiqués dans la roche : une porte en bois, une ou deux fenêtres munies de volets. La seule maçonnerie apparente est la face externe du conduit de cheminée. Celle-ci n'est pas percée dans le cerveau mais plaquée contre la paroi : il n'est pas besoin de la forer mais simplement de maçonner le conduit. C'est d'ailleurs la souche de la cheminée, saillant d'un à deux mètres au-dessus du sol pour améliorer le tirage, qui trahit de loin la présente d'une clotte.

L'intérieur frappe par son exiguïté. En 1744, Jean Labat, marchand, vend à Jean Coudreau, vigneron, « un emplacement de partie de grotte et rocher à prendre sur une grande grotte près le vieux château Dausonne, sur le coin de la grande grotte vers le levant, et de contenance vingt-deux pieds de vide par le travers, et de trente pieds en longueur. » L'acquéreur « pourra faire murer et renfermer ledit emplacement pour y faire un logement comme bon lui semble, et pourra prendre jour par fenêtres seulement vers la terre dudit Labat au levant ». Il est autorisé à démolir une petite masure pour « qu'il en prenne les moellons et en fasse sa condition meilleure ». Cet espace souterrain mesure environ 65 m² et permet donc d'installer décemment mais sans luxe un logement pour une famille peu nombreuse. En 1746, Coudreau a acheté au même Labat une autre grotte de 18 pieds par 25 au même lieu (49 m²). Le cercle de famille s'était peut-être élargi !

À l'intérieur des clottes, l'équipement aménagé dans la roche se limite à un évier, un ou deux placards identifiables par les rainures supportant les étagères, une banquette.

La grotte des Vendangeurs est nettement plus vaste que les autres avec ses 200 m² et une hauteur intérieure de 3,4 m. Elle est généreusement équipée de deux vastes cheminées. Peut-être a-t-elle constitué deux logements indépendants. Les autres clottes correspondent davantage au standing du sieur Coudreau : de 40 à 60 m² pour une hauteur moyenne de 2,5 m.

often such extensions were simple lean-tos with tile roofs, as testify a row of framing holes in the rock wall.

Some especially tiny dwellings were for animals (goats, pigs, poultry). Numerous tethering rings cut into the stone indicate the presence of cattle or horses. A small garden for subsistence crops completed the property.

COMFORT IN SOBRIETY

The home's façade was usually monolithic, with a few openings cut in the rock for a wooden door and one or two shuttered windows. The only visible masonry was the external face of the chimney shaft. The latter was not cut through the cerveau: there was no need to bore a hole for it, but simply to build the shaft against the wall. In fact, these chimneystacks, projecting one or two meters above the ground to improve the draught, are what betray from afar the existence of a clotte.

The interior is striking in its exiguity. In 1744, Jean Labat, merchant, sold to Jean Coudreau, vine-grower, "a site, partly cavern and rock, to be taken from a large cave close to the old 'Château Dausonne', on the corner of the large cave towards the east, and of an area of twenty two feet in width, and thirty feet in length." The purchaser "can have the said site walled up and enclosed to make a lodging as he sees fit, and must obtain sunlight only through windows facing the land of the said Labat in the east". He is authorized to tear down a small shanty in order to "retrieve the quarry stones and improve it." This underground space measured about 65 m², which constituted a decent but humble lodging for a small family. In 1746, Coudreau purchased from the same Labat another cave, 18 feet by 25 (49 m²), in the same location. The family circle had perhaps widened!

Inside the clottes, the fittings built into the rock were limited to a sink, one or two cupboards which can be identified by the grooves that supported the shelves, and a bench.

The grotte des Vendangeurs is clearly larger than the others with its 200 m² and interior height of 3.4 m. It is generously equipped with two huge chimneys. It was perhaps used as two independent lodgings. The other clottes, 40 to 60 m² for an average height of 2.5 m, are more in keeping with the status of sieur Coudreau.

L'intermède des champignons

Mushroom interlude

Nous avons vu que les carrières ont rapidement trouvé un usage résidentiel après l'abandon de l'activité extractive. Nous avons également parlé de la plus noble réutilisation des carrières : le chai de vieillissement. La quatrième vie des carrières apparaît à la fin du XIXᵉ siècle.

La légende veut qu'un champignonniste parisien, fuyant la capitale pendant les dramatiques événements de la Commune en 1871, ait découvert l'existence des carrières souterraines dans son exil girondin. Il aurait ainsi transmis la culture du champignon de couche, ou champignon de Paris, qui s'est rapidement propagée dans toute la région. En effet, les carrières, parisiennes ou girondines, offrent les conditions optimales pour cette culture : obscurité, température constante et forte humidité.

De fait, durant la première moitié du XXᵉ siècle, la quasi-totalité des carrières de Gironde ont abrité la culture du champignon de Paris. Les carrières d'Ausone n'échappent pas à la règle, sauf bien sûr celle qui abrite le chai. Le champignon de Paris y a été cultivé jusqu'en 1985.

En témoignent d'une part les secteurs qui n'ont pas été remaniés depuis l'abandon des cultures et conservent l'empreinte des meules, tassées mais encore bien visibles. On est surpris par la faible hauteur des galeries, parfois inférieure à 1,5 m. Il est vrai que le champignonniste travaille presque toujours courbé vers le sol ! D'autre part de nombreuses inscriptions relatives à l'exploitation, le plus souvent à la peinture rouge.

L'élevage se pratiquait sur des "meules", longs monticules parallèles qui s'étiraient dans les galeries. Après la Deuxième Guerre mondiale s'est répandue une nouvelle méthode plus légère : le substrat est placé dans des sacs en matière plastique d'environ un mètre de diamètre. Dans les deux cas, le substrat est un mélange de *jable* tamisé et de fumier de cheval.

It has been seen how the quarries quickly found a residential use after extraction activities were abandoned. The nobler reuse of the quarries, as a cellar for aging wine, has also been discussed. The quarry's fourth life starts at the end of the 19th century.

Legend has it that a Parisian mushroom grower, fleeing the capital during the dramatic events of the Commune in 1871, discovered the existence of the underground quarries during his exile in the Gironde and transmitted the technique for cultivating champignons de Paris, which quickly spread throughout the region. The darkness, constant temperature, and high humidity of quarries in general, be they in the Paris region or in the Gironde, provide optimum growing conditions for mushroom growing.

During the first half of the 20th century, almost all the Gironde quarries were used to cultivate these champignons de Paris. The quarries of Ausone were no exception, save, of course, for the one that served as a wine cellar. These mushrooms were cultivated here until 1985.

Traces attesting to this activity can be seen in some of the areas that have not been altered since the abandonment of cultivation. There are imprints of the mushroom beds, tightly packed by now but still visible and there are numerous inscriptions, usually in red paint, relating to the cultivation. It is surprising to see how low some of the galleries are, sometimes less than 1.5 m high. It is true that the mushroom grower always works hunched over!

The mushrooms were grown in long beds that stretched down the length of the galleries. After the Second World War, a new, lighter method came into use: the substrate was put into plastic sacks about a meter in diameter. In both cases, the substrate was a mixture of sifted jable and horse manure.

Ci-contre, en haut : *Dans la carrière inférieure, les vestiges de la culture des champignons.*
En bas : *La culture du champignon de couche à son apogée au début du XXᵉ siècle.*

Opposite page, top: Vestiges of mushroom growing in the lower quarry.
Bottom: Mushroom cultivation at its peak in the early 20th century.

L'exploitation, d'abord familiale, est peu à peu passée sous le contrôle d'entreprises qui assuraient également la mise en conserve et la commercialisation. La concurrence étrangère a mis fin à cette activité dans toute la région au cours des années 1980. En Gironde, un dernier champignonniste perpétue aujourd'hui un savoir-faire très élaboré et vend occasionnellement sa production sur les marchés.

Les champignons sont très sensibles aux attaques de bactéries, d'insectes ou d'autres champignons. Les espaces cultivés faisaient l'objet d'une sorte de jachère pendant laquelle les meules usagées étaient évacuées et entièrement renouvelées. Le champignon demande un fumier d'excellente qualité, de préférence celui de chevaux de course. À Saint-Émilion, le plus prisé provenait des haras militaires de Libourne. La culture exige des conditions climatiques précises de température et d'humidité mais aussi d'aération. La carrière inférieure d'Ausone conserve encore les dispositifs utilisés pour les cultures : bassins de puisage d'eau, ventilateurs, cloisons de pierre ou de brique pour confiner les galeries et canaliser l'air.

Production, originally a family affair, was gradually taken over by companies that also canned and sold the mushrooms. Foreign competition in the 1980s brought this activity to an end throughout the region. The last remaining mushroom grower in the Gironde today continues to work in the tradition of his predecessors and occasionally sells his production in outdoor markets.

Mushrooms are very sensitive to contamination from bacteria, insects and other mushrooms. The cultivated areas were put through a kind of fallowing process by which the used beds were emptied and entirely renewed. Mushrooms require manure of excellent quality, preferably from racehorses. In Saint-Émilion, the most prized compost was derived from the military breeding farms of Libourne. Cultivation necessitated precise climatic conditions with respect to temperature, humidity, and aeration. The equipment used for cultivation is still preserved in the lower Ausone quarry: basins for drawing water, ventilators, and stone or brick partitions to separate the galleries and channel the air.

34

Les inscriptions pariétales laissées par les champignonnistes concernent l'exploitation. La longueur totale des meules de la parcelle souterraine baptisée « Forêt » mesure 142 toises (« toisse »), soit 277 m, réparties en 5 meules (« 5 m ») plus une demi-meule accotée à la paroi (« aco »). Sous l'inscription, quelques traits noirs laissés par un carrier pour compter ses pierres.

Mushroom growers left inscriptions on the wall. This inscription can be interpreted as follows: the total length of the beds in the underground lot designated as the "*Forêt*," or Forest, contains 142 toises, or 277 m, divided into 5 *meules* ("5 m"), or beds, plus a half a bed propped against ("*aco*") the wall. Under the inscription, one can see several black lines left by a quarrier counting his stones.

Le cimetière rupestre
de la Madeleine

The rupestrian cemetery
of the Madeleine

Il faut encore écrire un chapitre de l'histoire de la pierre à Ausone. Autour de la chapelle de La Madeleine subsistent quelques-unes des fosses d'un vaste cimetière dont la particularité est d'être entièrement rupestre. Les tombes étaient creusées dans le rocher (à l'aide du pic de carrier) et recouvertes d'un dallage en pierres plates. Chaque fosse était aux dimensions du locataire et l'on peut ainsi mesurer l'importance de la mortalité infantile entre le XIIIᵉ et le XVIIᵉ siècle.

En 1552, François de Gleyra, chanoine prébendier du puissant chapitre de la collégiale de Saint-Émilion, demande par testament à être inhumé dans le roc au cimetière de La Madelaine. En 1598, Marie Demay, femme d'Eliot Gréau, bourgeois et marchand de Saint-Émilion, exprime le même souhait. Entre ces deux dates, en pleines guerres de Religion, une demoiselle Marguerite de Belcier, veuve de feu Raymond de Mailhet, sieur de Corbin, demande en 1565 le « cimetière de la Magdelaine près la Ville de Saint Milion selon la coutume de l'église réformée ». La pierre est intimement liée à la vie des habitants, au point qu'ils choisissent d'achever leur parcours terrestre au sein de la roche, quels que soient leur rang et leur religion.

Un incident macabre survenu dans le cimetière en 1631 est à l'origine d'un épisode cocasse opposant les deux autorités de Saint-Émilion. À la suite d'une épidémie de peste, des morts de contagion ont été ensevelis au cimetière de La Madeleine « sur le haut d'un tertre où le rocher est si près que les fosses ne se peuvent faire que dans le roc, et ne se trouvant de terre suffisamment pour couvrir les corps, il est arrivé

Quelques tombes du cimetière rupestre de la chapelle de la Madeleine.

Graves in the rupestrian cemetery of the Madeleine chapel.

Another chapter must yet be written about the stone of Ausone. Around the Madeleine chapel a few graves have survived from a huge cemetery whose distinguishing characteristic was that it was entirely rupestrian. The tombs were dug in the rock (using a quarrier's pick) and covered with flat flagstones. Each grave was made to the measure of its occupant, which allows us to gauge the high rate of infant mortality between the 13th and 17th centuries.

In 1552, Francois de Gleyra, prebendary Canon of Saint-Émilion's powerful collegial chapter, requested in his will to be buried in the rock of the La Madeleine cemetery. In 1598, Marie Demay, wife of Eliot Gréau, burgher and merchant of Saint-Émilion, expressed the same wish. Between these two dates, at the height of the religious wars, a Miss Marguerite de Belcier, widow of Raymond de Mailhet, sieur de Corbin, also requested in 1565 "La Magdelaine cemetery near the town of Saint Million according to the custom of the reformed Church." Stone was intimately linked to the lives of the inhabitants, to the point that they chose to end their days on earth in the bosom of the rock, whatever their rank or religion might be.

A macabre event that took place in the cemetery in 1631 was the cause of a laughable incident opposing the two authorities of Saint-Émilion. Following a plague epidemic, those who died of contagion were buried in the Madeleine cemetery "on the top of a hill where the rock is so close that the graves cannot but be made in rock, and finding not enough earth to cover the bodies, it happened that the

35

que les chiens des lieux circonvoisins ont désenseveli ces corps pestiférés, les ont mangés ou emportés et ont communiqué l'infection aux maisons de leurs maîtres ». François de Lescure, maire de Saint-Émilion, veut faire transférer les dépouilles restantes au cimetière de la ville. C'est alors que maître Jehan Signac, chanoine, « tout ému de colère » se précipite sur le maire, le menace et déchire ses registres. « Messire Antoine Dubreuil prébendier et vicaire dudit Signac, laisse entrevoir le pistolet qu'il avait sous sa soutane. » Quelle affaire !

En 1744, le cimetière n'est plus qu'« une place ancienne où l'on portait et ensevelissait les morts, de cinq à six lieues [20 à 24 km] à la ronde ». La place connaît une dernière heure de gloire sous la Révolution : le 29 mai 1790, le Régiment patriotique nouvellement créé, sorte de milice municipale – une trouvaille révolutionnaire –, y prête serment devant les officiers municipaux et toute la population « car il n'y a pas en ville de place assez espacieuse pour contenir le peuple ».

neighbourhood dogs unearthed the contaminated corpses, ate or carried them, and transmitted the infection to their master's homes." The mayor of Saint-Émilion, Francois de Lescure, wanted to have the remaining corpses moved to the town cemetery. It was then that maitre Jehan Signac, Canon, threw himself "in a fit of anger" on the mayor, threatened him, and tore up the registers. "Messire Antoine Dubreuil prebendary and vicar of the said Signac, let the pistol he was wearing show from under his robe." What a story!

By 1744, the cemetery was described as no more than "an old place where the dead used to be taken and buried, from the surrounding five or six leagues [20 to 24 km]." The site witnessed its last hour of glory during the Revolution. On the 29th of May 1790, the newly formed Régiment patriotique, a municipal militia of sorts (a revolutionary invention) went there to take oath before the municipal officers and all the residents "as there is not enough space elsewhere in town to hold the population".

LE CHARNIER DE LA CHAPELLE

Michelle Gaborit a étudié la belle fresque du Jugement dernier situé dans une curieuse salle souterraine sous le chevet de la chapelle. Dans ce qui apparaît comme un charnier surmonté d'une sorte de cheminée ont été jetés les ossements du cimetière afin de libérer de la place pour les nouveaux arrivants. À une date assez ancienne, mais postérieure aux fresques datées du XIV° siècle puisque celles-ci ont été rognées, la petite cavité circulaire a été agrandie, encore une fois avec des méthodes de carrier. Il ne s'agissait pas tant d'extraire de la pierre que d'augmenter la capacité de stockage du charnier. L'impressionnante quantité d'ossements encore entassés actuellement confirme que le cimetière de La Madeleine était une dernière résidence très demandée.

THE MASS GRAVE IN THE CHAPEL

Michelle Gaborit has written about the beautiful wall painting of the Last Judgement located in a curious underground chamber under the chapel's chevet. In what appears to be a mass grave surmounted by a kind of chimney were strewn bones from the cemetery, probably moved in order to make room for new arrivals. Sometime long ago, but clearly after the wall paintings that date to the 14th century (since these were whittled away as a result), the rotunda was enlarged, once again using quarrying methods. This was done not to extract stone but rather to increase the holding capacity of the mass grave. The impressive quantity of bones still piled up there today confirms that the cemetery of the Madeleine was a last resting place very much in demand.

Dans l'ancien charnier, le bas de la fresque du XIV° siècle a disparu sous le pic du carrier, qui a grappillé plus de soixante mètres cubes de pierre. Le front de taille est encore bien visible.

In the former mass grave, the lower part of the 14th-century wall painting disappeared under the pick of quarriers who removed more than sixty cubic metres of stone. The vertical wall of quarried stone is clearly visible.

La pierre dans tous ses états

Stone in life and in death

Le mémoire d'inscription par l'Unesco de la Juridiction de Saint-Émilion au patrimoine mondial de l'humanité fait largement référence au rôle de la pierre dans la structuration de ce paysage viticole exceptionnel, en remarquant que l'exploitation des carrières a contribué à « créer une communauté en parfaite harmonie avec la topographie ».

Les sites rupestres du domaine d'Ausone offrent une diversité d'usages surprenante qui permet de parcourir allègrement en quelques pas huit siècles de culture et de traditions locales. On y trouve, avec une grande cohérence, des carrières d'extraction de la pierre de taille à l'origine des plus fiers monuments de la région, lieu d'une intense activité économique ininterrompue depuis le Moyen Âge, devenues chais ou champignonnières ; des habitations souterraines qui n'étaient pas, loin s'en faut, réservées aux plus défavorisés ; un important et original cimetière dans le roc que ne dédaignaient pas les meilleures familles de la ville voisine ; et bien sûr un patrimoine bâti remarquable. Les mystérieux labyrinthes souterrains entretiennent la mémoire d'activités disparues qui ont façonné la culture et l'économie régionale.

Les gens d'Ausone ont vécu de la pierre, ont habité dans la roche, y ont achevé leur vie et lui confient encore le soin de veiller sur leur plus précieuse production vinicole. Les générations qui se sont succédé sur ce petit territoire ont su tirer du sol et du sous-sol tout ce qu'ils pouvaient offrir de meilleur pour atteindre l'excellence.

One of the main criterion mentioned in the nomination of the jurisdiction of Saint-Émilion to Unesco's World Heritage listing focused on the role of stone in structuring this exceptional winemaking landscape. The site was described as "a striking example of settlement that is representative of a culture and unique testimony to perfect symbiosis between land, human beings, and production."

The rupestrian sites on the Château Ausone estate offer a surprising diversity of uses, which allow us to blithely cover eight centuries of local culture and tradition in only a few steps. One finds there a great cohesion of stone extraction quarries which are the source of the region's proudest monuments, the site of uninterrupted economic activity since the Middle Ages, and which were subsequently used as wine cellars and for mushroom growing; underground dwellings which were not, far from it, reserved for the poor; a sizeable unique cemetery carved in the rock, scorned not even by the best families of the neighbouring town; and of course, the site of a remarkable architectural heritage. The mysterious underground labyrinths keep alive the memory of activities that have now disappeared but which shaped the culture and economy of the region.

The people of Ausone made their living from the stone, lived in the stone, ended their lives there, and still entrust to it their most valuable wine production. Generation after generation, the people who have lived in this small area have managed to take the very best that the ground and the underground could offer them in their aspiration for excellence.

Panorama de la côte de la Madeleine et des vignobles d'Ausone dominés par le château.

Panoramic illustration of the Madeleine knoll and the vineyards of the Ausone estate dominated by the château.

bajard : brancard pour le transport de la pierre

banc : volume de pierre à extraire de 13 x 13 x 13 pieds

banquerie : les rangs de pierre extraits horizontalement sous le front de taille

cerveau : épaisseur de la roche entre une galerie souterraine et la surface

chantier : partie de la carrière où l'exploitation est en cours

clotte / grotte : habitat troglodytique, soit creusé à cet effet soit aménagé dans une portion de carrière souterraine

coin : pièce de bois de chêne à l'origine puis de fer, enfoncée à l'aide d'une masse dans la fente pratiquée autour du bloc de pierre à extraire

doubleron : le format de pierre le plus répandu, mesurant 1 x 1 x 2 pieds (un pied = 35 cm environ), soit une pierre de 90 à 110 kg

échemillage (ou chambordage) : équarrissage de la pierre pour aplanir les faces et lui donner les dimensions voulues

esclopement : tranchée horizontale pratiquée à l'aide de la *trace* au-dessus et en dessous du bloc de pierre à extraire

fin brune, blanche : mince couche de matériau hétérogène dans la pierre (brune : argile ; blanche : calcite), la fragilisant et la rendant impropre à la construction

gaffot (prononcer gaffott') : croc métallique emmanché pour la manipulation des blocs de pierre

jable (ou chaple) : fragments de pierre résultant de l'extraction et de l'équarrissage des blocs et constituant une importante couche de remblai sur le sol des carrières

marchand pierrier : entrepreneur employant des ouvriers carriers et assurant la commercialisation de la production

moellon : morceau de pierre brisée, trop petit pour être taillé

moulineur : ouvrier habile à déplacer les pierres en les faisant rouler sur leurs arêtes

pierrier : carrier

pierrière : carrière ou l'on extrait la pierre à bâtir

pilier : pilier de roche conservé pour soutenir le *cerveau*

pot de terre : poche d'argile dans la roche massive

quenière : tranchée verticale peu profonde taillée à l'arrière d'un bloc et où l'on place les coins

rebut : pierre de taille de moindre valeur dont une des faces au moins est défectueuse

ribot : voir *moellon*

rue : galerie de carrière souterraine

taillant : lourde hache servant à aplanir les faces d'une pierre

taille (n. m.) : front de taille, paroi verticale constituant la surface d'attaque de la roche

taille-debout : tranchée verticale pratiquée à l'aide de la *trace* à droite et à gauche du bloc de pierre à extraire

tirer : extraire de la pierre

tireur de pierre : ouvrier carrier

trace : pic, outil principal du carrier

bajard : stretcher for transporting stone.

banc : mass of stone to be extracted measuring 13 x 13 x 13 feet

banquerie : horizontal rows of stones extracted under the working face

cerveau : *(lit. brain)* thickness of rock between an underground gallery and the surface

chantier : section of the quarry being worked

clotte/grotte : troglodyte dwelling, excavated for this purpose or fitted in a section of underground quarry.

coin : a wedge, originally made of oak, and later iron, used to extract the stone block

doubleron : the most common stone block format, measuring 1 x 1 x 2 feet, weighing between 90 and 110 Kg

échemillage (or *chambordage*) : squaring of a stone to smooth its surface and give it the desired dimensions

esclopement : horizontal trench made with the aid of a pick above and below the stone block to be extracted

fin brune, blanche : thin white or brown layer of heterogeneous matter in the stone (the brown is clay, the white calcite) which makes it too fragile for building purposes

gaffot : a metallic hook with a handle for manipulation of stone blocks

jable/chaple : stone fragments resulting from the extraction squaring of blocks and forming a large layer of debris on the quarry floor

marchand pierrier : an entrepreneur who hires quarry workers and sells the production

moellon : a piece of broken rock too small to be cut

moulineur : worker who moves the stones by rolling them on their edges

pierrier : quarrier

pierrière : quarrie where construction stone is extracted

pilier : pillar of rock kept to support the *cerveau*

pot de terre : clay pocket in the rock mass

quenière : shallow vertical trench cut behind a block, where the wedges are inserted

rebut : cut stone of lesser value that has at least one defective side

ribot : see *moellon*

rue : in quarry parlance, the street is an underground gallery

taillant : heavy axe used to smooth the stone's surfaces

taille : or *front de taille*, the working face or vertical wall where stone is being quarried

taille-debout : vertical trench cut with the aid of the grooves to the right and left of the block to be extracted

tirer : to extract stone

tireur de pierre : quarry worker

trace : pick, the quarrier's main tool

Bibliographie succincte

– A. BERNARD, D. CANOR, D. DELANGHE, *Essai de glossaire des carrières de Gironde*, in Bull. SSPB, tome XXIX (73-77), 1999
– N. CHARNEAU, J.-Ch. TREBBI, *Maisons creusées, maisons enterrées*, éd. Alternatives, 1981
– M. GABORIT, *La chapelle d'Ausone à Saint-Émilion*, éd. Confluences, 2003
– Ch. POMEROL et al., *Terroirs et vins de France*, éd. BRGM, 1986
– F. QUERRE, J. de GIVRY, *Saint-Émilion, miroir du vin*, éditions Agep, 1992, rééd. 1999
– Actes du colloque « Les carrières de Gironde », Bordeaux 1999, Société spéléologique et préhistorique de Bordeaux, 2001

– *Asteria*, site du Conservatoire de géologie de Langoiran : http://asteria.free.fr/

Les illustrations

– Archives départementales de la Gironde : p. 21
– Archives municipales de Bordeaux : p. 9, 14
– Serge Bois-Prévost : couverture, p. 1, 2-3, 4-5, 10-11, 12, 13, 14, 15, 16, 17 (à dr.), 18, 19, 20, 22 (en h. à dr., 3ème niveau à dr.), 28, 32, 35, 36
– Vincent Brunot : p. 20, 26, 30, 37
– Collection Alain Vauthier : p. 16 (médaillon)
– Collection Damien Delanghe : p. 6, 27, 29, 32
– Conseil général de la Gironde / BRGM : p. 11
– Damien Delanghe : p. 8, 14, 17 (à g.), 22, 23, 24, 25, 28 (médaillon), 34
– Musée des Beaux-Arts de Bordeaux : p. 6

Merci à Bernard Larrieu qui a bien voulu nous prêter la reproduction d'une lithogaphie de Léo Drouyn représentant la chapelle de la Madeleine.

Les auteurs

DAMIEN DELANGHE

Grenoblois d'origine, Bordelais depuis 1983, consultant en environnement, spéléologue par passion. Depuis qu'il a découvert, à son arrivée en Gironde, l'univers si particulier des carrières souterraines, il tente de leur arracher petit à petit leurs secrets dans une approche pluridisciplinaire. Il fait partager au public ses connaissances dans des colloques, publications et conférences.

Il tient à exprimer sa gratitude à Olivier LESCORCE, historien du patrimoine architectural et urbain, fondateur de "Patrimoine Classique Bordeaux", qui a patiemment constitué sur le domaine d'Ausone un considérable corpus documentaire s'étendant du XIIIᵉ siècle à nos jours, et qui a bien voulu le mettre à sa disposition.

SERGE BOIS-PRÉVOST

Né en 1949 à Arpajon, Serge Bois-Prévost vit à Rauzan, en Gironde. Photographe professionnel, il est lauréat de la Fondation de la vocation et de la Fondation nationale de la photographie. A côté de travaux de commandes, notamment dans le monde du vin, il poursuit des recherches personnelles. A publié, avec Michelle Gaborit, *La Chapelle d'Ausone*.

Vincent BRUNOT

Né à Paris en 1964, diplômé de l'Ecole Nationale Supérieure des Arts Décoratifs, section gravure. Illustrateur et cartographe aux éditions Gallimard entre 1990 et 1998, il s'est spécialisé dans le dessin de reportage et a publié de nombreux ouvrages dont *L'Île de Ré* (Gallimard), *La Lagune de Venise* (Mare di Carta), ou *Teatro Verdi. Stagione 2004-2005* (Fondazione Teatro Lirico "Giuseppe Verdi"). Collabore à *Géo* et à d'autres magazines.

Table des matières

Cet ouvrage a été reproduit
et achevé d'imprimer
par l'imprimerie BLF Impression, Le Haillan
le 20 décembre 2013

éditions confluences
B.P. 21
33036 Bordeaux cedex

château Ausone
33330 Saint-Émilion

N° ISBN : 2 914240 77 5
N° d'éditeur : 77
Depôt légal : mars 2006